W9-BXF-882

BILBO

J E U N E S S E

COLLECTION DIRIGÉE PAR **ANNE-MARIE AUBIN**

Une
Odeur
de
mystère

DE LA MÊME AUTEURE

Les Fantaisies de l'oncle Henri,
Toronto, Annick Press, 1990.

Uncle Henry's Dinner Guest,
Toronto, Annick Press, 1990.

Camille, rue du Bois,
Montréal, Éditions Québec/Amérique
Jeunesse, coll. Bilbo, 1993.

Une Odeur de mystère

BÉNÉDICTE FROISSART

ROMAN

QUÉBEC/AMÉRIQUE JEUNESSE

1380 A, rue de Coulomb
Boucherville, Québec J4B 7J4
(514) 655-6084

Données de catalogage avant publication (Canada)

Froissart, Bénédicte
Une odeur de mystère
  (Bilbo jeunesse ; 55)

  ISBN 2-89037-673-7
  I. Titre. II. Collection.

PS8561.R638033 1994   jC843' .54   C94-941267-8
PS9561.R638033 1994
PZ23.F760d 1994

Les Éditions Québec/Amérique bénéficient du pro-
gramme de subvention globale du Conseil des Arts du
Canada.

Dépôt légal :
4e trimestre 1994
Bibliothèque nationale du Québec
Bibliothèque nationale du Canada

Réimpression août 1995

Diffusion :
Éditions françaises
1411, rue Ampère
Boucherville (Québec)
J4B 5Z5
(514) 641-0514
(514) 871-0111 - région métropolitaine
1-800-361-9635 - région extérieure
(514) 641-4893 - télécopieur

Révision linguistique : Marcelle Roy
Montage : Cait Beattie
Illustrations intérieures : Normand Cousineau

À Madeleine, Nanite
et mes petits Lou.

CHAPITRE 1

CHOCOLAT, PAIN ET CONFITURE

Une odeur de café au lait, de chocolat, de pain, de confiture et d'humidité me chatouille les narines. Comme ça sent bon! Ça y est, je suis chez Marguerite.

Je me retourne dans mon lit pour profiter des derniers petits recoins de chaleur avant de mettre les pieds par terre et de commencer ma journée. Je repense à mon voyage Montréal-Paris, Paris-Périgueux. Premier voyage seule en avion, je n'ai jamais eu l'impression d'être aussi grande de ma vie. Traverser l'Atlantique en solitaire... ou presque. J'ai vu un ciel avec des couleurs que je n'avais encore jamais imaginées. Elles se fondaient pour donner une autre palette. J'ai guetté toute la nuit les étoiles, la lune et les nuages. Tout ce voyage s'est terminé par le sourire de ma grand-mère qui m'attendait.

Je ne résiste pas plus long-temps à l'odeur du chocolat, je descends dans la cuisine la re-joindre, elle, son rouge-gorge, ses canaris, sa colombe et ses chats.

Comme d'habitude, la table est mise, tout est à sa place, les fleurs dans le vase en sucre d'orge, les grands bols bleus dans lesquels on disparaît en buvant, et la collection de pots de confiture. Un déjeuner de ma grand-mère vaut toutes les délices du monde.

— Camille, ma chérie, encore un peu de chocolat?

Sa voix douce me fait ronron-ner. Je resterais des heures près

d'elle à l'écouter. Quel bonheur d'être là. À nous les doux moments dont elle a le secret, à nous les rires et les fous rires, à nous le printemps!

Rassasiée, je saute de mon tabouret et je pars pour la millième fois à la découverte de la maison.

D'un coup d'œil, je retrouve tous les objets dont ma grand-mère sait me parler indéfiniment. J'imagine les pirates de la mer de Chine rapportant la lampe du salon, une princesse serrant sur son cœur le petit poisson d'argent, un Chinois fumant l'immense pipe. Et cette bouilloire en forme de cheminée qui a rempli des tasses et des tasses de thé, c'est mon grand-père qui l'a ramenée de Russie. Le seul objet qu'il ait emporté.

Lui, c'était son samovar qu'il aimait par-dessus tout! Moi, ce serait la petite boule de verre suspendue à la fenêtre de ma chambre que je ne quitterais jamais. Elle transforme les rayons du soleil en un splendide opéra de couleurs, et la grisaille, en lumière.

Une grande respiration. Je m'étire de plaisir à l'idée d'aller redécouvrir les odeurs de la maison. Je marche les yeux fermés. Je reconnais la chambre bleue avec le fauteuil de tante Cécile et son parfum de myosotis, la chambre de l'oncle Albert et son odeur de cannelle.

Ici, la salle de bains avec sa baignoire sabot et la coiffeuse dont le miroir me dit chaque fois que je suis la plus belle.

Je sens. Je sens encore. Je ferme les yeux pour mieux profiter de chaque odeur, la poudre de riz, l'eau de Cologne, le rouge à lèvres, la lavande. C'est ça l'odeur de la salle de bains : des parfums entremêlés. Mais aujourd'hui, ça ne sent vraiment pas comme d'habitude. Un nouvel arôme s'est installé. J'ouvre les yeux. Rien n'a bougé, il n'y a rien de changé pourtant. C'est une odeur que je connais, mais je n'arrive pas à l'identifier. C'est sucré, velouté... D'où vient-elle?

Je descends pour en parler à Marguerite. Elle n'est pas dans la maison. Je l'aperçois dans le jardin en grande conversation avec un monsieur. C'est animé, c'est drôle.

Je l'appelle doucement, elle ne m'entend pas. Je n'insiste pas. Ce n'est visiblement pas le moment de venir lui parler des nouvelles odeurs de la salle de bains. Elle est très occupée.

J'attends, mais quand on a besoin de sa grand-mère, juste pour soi, et tout de suite, le temps est long.

Je m'assois sur les marches de l'escalier et je l'observe. Ma grand-mère est belle. Toujours un petit nœud soigné en guise de cravate (aujourd'hui il est bleu

mer avec des pois jaune pâle),
ses cheveux blancs et soyeux
bien coiffés. Elle sourit, elle rit, et
c'est là qu'elle est la plus belle.
Tout son visage s'éclaire, ses
yeux brillent. J'aime tellement
quand elle rit!

CHAPITRE 2

LE CHAMP
DE MARGUERITE

Tout à l'heure, dans le jardin, ma grand-mère parlait avec «monsieur le jardinier qui vient l'aider à entretenir son jardin». Je ne le connais pas et elle ne me l'a pas présenté. Étrange.

Le jardin de ma grand-mère est un rêve tellement il y a de plantes et de fleurs de toutes sortes. C'est une explosion de couleurs et un bouquet d'arômes. Des coquelicots, des jonquilles, des clématites, du chèvrefeuille, des roses, de l'angélique, des pervenches, des groseillers, des framboisiers...

Son jardin est tout petit, mais il donne sur un immense champ, avec un étang et un sous-bois plein d'ombres, d'arbres à cabanes, et de sentiers. C'est le champ de Marguerite.

À cet endroit, avec mes amis du village, pendant les vacances, j'organise des parties de cache-cache, des batailles de corsaires, des pique-niques. On a même déjà dormi à la belle étoile. Mais aujourd'hui, je marche dans le jardin, je cueille des fleurs et je caresse les chats qui se prélassent au soleil en guettant les souris d'un œil vagabond.

En allant vers le champ, j'aperçois au loin près de l'étang un tout petit bonhomme qui gesticule.

Courant dans tous les sens, une branche dans les mains, il la monte et la descend. Je m'approche. Je commence à mieux distinguer cette silhouette, celle d'un monsieur plutôt grand. Il est coiffé d'un chapeau de paille recouvert d'un filet. Ce n'est pas tout à fait un chapeau de chasseur d'éléphant, mais presque. Et ce n'est pas du tout une branche mais un bâton avec quelque chose au bout.

Habillé d'une chemise blanche, il porte des bretelles pour retenir un short très, très large, de longues chaussettes blanches et des chaussures de montagne. Et dans ses mains, il tient une grande passoire au bout d'un long manche.

Il court toujours, se rapproche et me salue de la main, puis repart de plus belle dans le champ avec la passoire qui monte et qui descend. Je n'ai jamais vu ça. On pourrait croire qu'il chasse les papillons, mais ça ne se chasse pas avec une passoire!

Étrange. Vraiment étrange. Qui est-il pour se permettre d'être là, dans notre champ?

Cachée derrière un marronnier, je l'observe. De temps en temps, il s'arrête, va sous un arbre, se penche et se met à taper avec sa passoire. Par moments, il saute plusieurs fois de suite et reprend sa course. C'est drôle, vraiment drôle de le voir tourner autour des arbres, s'arrêter, puis bondir comme une puce. Il marche ensuite sur la pointe de ses énormes chaussures et s'élance tout d'un coup en plaquant sa passoire par terre.

Que cherche t-il?

D'arbre en arbre, je me rapproche de lui. J'aperçois une cage pleine de grenouilles. Lui, il a disparu!

Je regarde autour de moi, personne. Seulement les arbres. Je suis toujours inquiète quand les gens disparaissent.

— Ah! te voilà sacré grenouille de mon cœur! me dit-il avec un très curieux accent.

Il est là, à côté de moi. Se moquerait-il de moi?

— Je ne suis pas une grenouille!

— Je croyais. Heureusement que vous me le dites, chère demoiselle, sinon je vous attrapais comme toutes les autres.

Il ramasse la grenouille qu'il vient de capturer, lui parle amicalement, sûrement dans une langue de grenouille! Elle a l'air de comprendre, et moi, pas du tout.

— Vous êtes chasseur de grenouilles?

— Oui, on peut dire ça. Et vous, la petite fille de Madame Pitiev?

— Comment le savez-vous?

Je n'aime pas qu'il sache qui je suis, alors que moi, je ne sais qu'une seule chose, c'est qu'il court après les grenouilles.

— Je devine tout, me répond-il en mettant la grenouille dans la cage avec les autres.

— Pourquoi les capturez-vous ?

— Je suis directeur de cirque, un petit cirque où je monte des numéros de grenouilles. Elles jonglent, font du trapèze, certaines sont très savantes et peuvent répondre à des questions.

Il m'invite à m'approcher de la cage et me désigne Irma la grenouille chanteuse, Gertrude et Igor les trapézistes, Popov, Tchekhov et Pavlov, les grenouilles savantes. Elles étaient en récréation dans le champ.

J'aurais beaucoup de questions à lui poser. De quelle grandeur est le chapiteau d'un cirque de grenouilles ? Comment sont les chaussures du clown ? Qui fait les costumes ? À quelle hauteur sont les trapèzes ?

Mais d'un geste de la main, je le salue.

Je n'ai pas envie d'entendre parler de grenouilles savantes, j'ai besoin d'entendre couler l'eau de mon ruisseau, celui avec qui je joue des journées entières. Je le dévie, il me rattrape, je le transforme en torrent et il redevient ruisseau.

Je pars le retrouver. Je m'assois au bord pour écouter l'eau se promener. Cette année, l'eau est timide, elle coule trop doucement.

Le soir nous mangeons des cuisses de grenouilles avec de l'ail, beaucoup d'ail.

— Tu sais qui j'ai rencontré cet après-midi? Un dompteur de grenouilles. Il a un cirque. Peut-être qu'il y aura une représentation au village?

— Ah! oui, répond ma grand-mère, l'air rêveuse.

Je suis sûre qu'elle aimerait beaucoup voir Irma la grenouille chanteuse.

Après le souper, nous allons dans le salon regarder sa collection de papillons, et quelques chansons plus tard je me couche. En m'endormant, j'entends les bruits de la maison, les planchers craquent et le piano résonne. Ma grand-mère parle, une valse joue et des pas de danse effleurent le plancher, l'effleurent, l'effleurent...

CHAPITRE 3

LE MARCHÉ AU VILLAGE

Hier, je me suis couchée épuisée. Dans mon lit, je repensais à la journée que je venais de passer avec ma grand-mère.

Après un copieux petit déjeuner au soleil, nous sommes allées au marché. Mardi, c'est le jour du marché au village. Pour rien au monde, je ne manquerais cette matinée. Tout le monde est là, ça crie, ça rit et ça jacasse. Une vraie fête!

Pour ma grand-mère et moi, c'est toujours un délicieux moment. Nos paniers sous le bras, main dans la main, nous partons faire nos courses et retrouver madame ciboulette, la vendeuse de poireaux, de salades et de noisettes.

Lunettes de soleil sur le bout du nez, chapeau noir en forme de tuyau de poêle sur la tête, chaussures de montagne aux pieds, une longue silhouette nous dépasse et se faufile à grands pas dans la foule. Je crois reconnaître sa démarche, ses chaussures. C'est le dompteur ? Non, c'est le jardinier.

— Regarde, ai-je juste le temps de dire à ma grand-mère.

Elle est toute rose, et lui a déjà disparu. Depuis que je suis arrivée, je la trouve un peu mystérieuse, on dirait qu'elle me cache des choses. Pourtant, je suis son unique petite fille à qui elle raconte tous ses secrets.

Et lui, pourquoi ne nous a-t-il pas dit bonjour ?

Nous entrons dans la meilleure crémerie du monde. Nous y allons parce que la crémière est la plus appétissante des crémières. Elle a l'air si gourmande de ses fromages que nous les achèterions tous. On se contente d'en goûter quelques-uns pour choisir le plus gras ou le plus sec, le plus frais, le meilleur.

Les pâtés, la viande et le jambon fumé, nous les achetons chez Georges, le boucher. C'est aussi le plus grand chasseur de la région. Puis, nous aboutissons chez le boulanger où il y a toujours une fournée toute chaude de couronnes de pain.

De loin, je revois le chapeau. Le monsieur qui se cache dessous nous surveille, il nous épie. Cette présence m'inquiète.

Sur le chemin du retour, nous passons devant l'étalage du quincailler, mon marchand préféré. Il vend des bouchons, des pinceaux, des peintures, des casseroles, des balais, des marteaux, de la colle, des râteaux, des bassines, des grands bols...

Il possède tout ce qu'il est possible d'imaginer pour réparer une maison. Il a toujours l'article unique. Cet étalage est la source de discussions passionnées, et cela aboutit toujours à l'achat d'un objet «très utile madame Marguerite, vous verrez, vous m'en donnerez des nouvelles».

Ensuite, nous rentrons et nous mangeons du pain avec du fromage et une salade. C'est succulent, surtout le pain chaud.

Dès la dernière bouchée avalée, nous allons visiter pour la millième fois le château de la Princesse au bois dormant, le plus mystérieux des châteaux, où les hiboux sont les rois. Cette fois encore, ma grand-mère a l'air d'adorer s'y promener, nous y découvrons chaque fois des petits recoins insolites.

La journée est vite passée.

Ces proches et doux souvenirs s'évanouissent. Bien au chaud sous l'édredon, je soupire de plaisir, puis je sombre tranquillement dans un rêve. Ma grand-mère et moi regardons par la fenêtre de sa chambre passer un vol majestueux de girafes. Soudain, nous entendons un bruit sourd.

Quelqu'un marche sur le toit de la maison.

Je me réveille en sursaut, j'écoute attentivement. Ce n'est pas un rêve.

Des pas, j'entends des pas, des chuchotements, c'est vrai. Une porte grince. Quelqu'un entre. À cette heure-ci, ce sont des voleurs. Je me lève, j'enfile un chandail et des chaussettes, je me dirige sur la pointé des pieds vers la porte de ma chambre. Je sors sur le palier, tout doucement. Le plancher craque, mon cœur se serre, j'écoute.

Du salon s'échappe une petite musique. La maison retient sa respiration. Le seul mouvement, c'est celui de mon cœur qui bat.

Vite, je descends l'escalier, il n'y a personne dans le salon, juste les petites lumières et la musique. Le livre de ma grand-mère est ouvert, et ses lunettes sont posées à la page trente-quatre. Pourquoi a-t-elle laissé les lumières allumées ? Où est-elle ?

J'ai peur. Ce ne sont pas des histoires. Me voilà face à des brigands qui ont peut-être volé ma grand-mère et tous ses trésors. Je pars immédiatement à la recherche de Marguerite. Ils peuvent l'avoir mise dans le placard de la cuisine ou dans le garde-robe de sa chambre.

Je file dans la cuisine, toutes les lumières sont éteintes. Je me cogne contre la table, un pot de fleurs tombe et se brise en mille morceaux. Je sursaute, j'ai les larmes aux yeux, mais quand j'entends des pas dans l'escalier, mon corps se met à trembler et j'ai de la peine à respirer. Recroquevillée derrière la porte de la cuisine, j'ai peur que mon cœur me trahisse tellement il bat fort.

Les pas se dirigent vers la cuisine. Je retiens mon souffle pour être sûre que les bandits ne m'entendent pas.

Je ferme les yeux et déjà je me sens mourir.

Les pas se rapprochent : la dernière marche de l'escalier, le couloir, la porte de la cuisine. Lumière!

— Oh non! pas encore ces chats! Ils ont cassé mon vase d'opaline. Je pensais pourtant les avoir mis dehors.

Ma grand-mère! C'est sa voix! Elle est sauvée!

Je sors de ma cachette pour me précipiter dans ses bras. Bien enfouie dans le creux de son cou, je lui chuchote mes peurs, les bruits, les brigands.

— Tu as dû rêver, ma chérie, j'étais dans ma chambre et je n'ai rien entendu. Tu sais bien qu'ici nous ne craignons rien!

Elle ne me comprend pas! Elle n'a rien entendu et elle rit presque de moi.

Pour me rassurer, nous faisons le tour de la maison : je regarde sous tous les lits. Nous éteignons les lumières au fur et à mesure. Pas de trace de voleurs.

Elle vient me coucher dans mon lit, me chante la chanson que je préfère, celle que lui chantait sa grand-mère quand elle était petite.

En sortant de ma chambre, elle entre dans la sienne, ferme la porte et je m'endors. Dans mon rêve, je l'entends rire et chuchoter, mais c'est un rêve.

CHAPITRE 4

L'OMBRE QUI CHANTE

Ce matin, au petit déjeuner, je parle enfin à ma grand-mère de la nouvelle odeur de la salle de bains. Je l'ai reconnue, c'est une odeur de vanille.

Son visage devient un peu rose.

— De la vanille, ma chérie? C'est possible, il y en a souvent dans les parfums, j'irai vérifier.

Nous parlons d'hier soir et elle me dit qu'elle aussi, quand elle avait mon âge, elle aimait rêver et s'inventer des histoires en s'endormant.

Le soleil me tend les bras. Je décide de prendre un vélo pour aller au village. Depuis que je suis arrivée, je n'ai pas encore joué avec mes amis Laurent, Guillaume et Virginie.

Ils sont sur la place du marché. Comme d'habitude, Laurent marche sur le bord de la fontaine en chantant des airs d'opéra. Virginie attend le moment pour le pousser à l'eau, elle a toujours son air rieur. Quant à Guillaume, monté sur sa bicyclette, il essaie de la faire se cabrer comme un cheval. Pas facile!

— Salut tout le monde!

— Eh! c'est Camille, crie Guillaume. D'où tu viens?

— As-tu reçu ma lettre? Je l'ai envoyée hier, me dit Virginie avec son air moqueur. (On dit toujours qu'on va s'écrire mais on ne le fait jamais.)

— Raconte-nous ce qui t'est arrivé depuis l'été dernier, questionne Laurent.

Il ne faut jamais me demander ça parce que je trouve toujours des histoires et il le sait très bien.

Je raconte mon voyage et ma rencontre avec le dompteur de grenouilles, ils rient et me croient à moitié. Je décide de leur raconter ma soirée de la veille.

— J'ai quelque chose d'autre à vous dire. Hier soir, il m'est arrivé une drôle d'histoire, j'ai rêvé qu'il y avait quelqu'un qui entrait chez ma grand-mère...

— Ah! tu sais Camille, il se passe des choses étranges chez Marguerite. Depuis quelques mois, une ombre rôde autour de sa maison. L'autre soir, on l'a entendue chanter devant chez elle un air aussi grave que la nuit. On s'est approchés. C'est un homme, c'est sûr, assez grand... m'explique Guillaume.

— Depuis que je suis arrivée, elle est soucieuse, un peu mystérieuse... Elle sent peut-être un danger la menacer? On devrait faire notre enquête.

Nous décidons de partir au village, à la recherche de cet individu. Il faut s'assurer que ma grand-mère n'est pas en péril. À pied, à bicyclette, nous enquêtons, mais personne n'a rien vu, rien entendu.

D'après l'épicière, Madame Beauséjour, il n'y a pas de nouvel habitant dans le village. Elle n'a jamais remarqué d'ombre particulière, de monsieur étrange, ni même de dompteur de grenouilles. Et si madame Beauséjour n'a rien remarqué, c'est qu'il n'y a pas grand chose de nouveau.

À la tombée de la nuit, je retourne chez ma grand-mère avec Virginie. Elle vient dormir à la maison. Nous nous tenons par la main et nous avançons à pas de loup. Et si on rencontrait l'ombre? Tout à coup, nous l'apercevons. Elle n'est pas dehors,

mais dans la maison. Elle se profile sur le mur de la chambre de ma grand-mère.

L'ombre est à l'intérieur de la maison !

Nous nous précipitons dans la maison, grimpons l'escalier à toute vitesse pour la débusquer.

Nous ouvrons la porte de la chambre, tout est éteint, tout est calme. Nous allumons toutes les lumières, mais visiblement il ne se passe absolument rien. Étrange...

— Mais que se passe-t-il ? demande ma grand-mère. Venez souper, tout est prêt.

En descendant l'escalier, tout à coup, j'entends un bruit, un éternuement. Immédiatement, ma grand-mère se met à parler plus fort. Je suis sûre que le bruit vient de la chambre. Que se passe-t-il donc dans cette maison ?

Une nouvelle odeur que ma grand-mère ne sent pas, une

ombre qui disparaît en un instant et quoi encore?

Après le souper, pendant que Marguerite se promène, Virginie et moi décidons d'aller dans sa chambre. Le chemin est libre.

Cela m'ennuie beaucoup de rentrer dans la chambre de ma grand-mère sans sa permission. J'ai l'impression de lui voler quelque chose, son endroit à elle, ses secrets, mais Virginie n'a pas ces scrupules.

Nous ne voyons rien. Rien sous le lit, rien dans le lit. Rien dans le placard, rien derrière le fauteuil, rien sous le bureau. Rien. Mais je sens l'odeur de vanille.

Nous sortons bredouilles, mais contentes de ne pas avoir eu à nous battre contre l'ombre.

CHAPITRE 5

DES DRÔLES DE LARMES

Le soir en me couchant, j'ai eu peur de toutes les ombres, même de la mienne. Je n'osais pas fermer les yeux pour m'endormir.

Le lendemain, dès que Laurent et Guillaume arrivent à la fontaine, nous leur racontons nos recherches de la veille. Ils trouvent cette histoire de plus en plus bizarre.

— Tu sais, Camille, ta grand-mère a besoin de nous.

— Je suis d'accord, dis-je. Ce soir, à l'heure où les ombres sortent, il faut faire quelque chose.

Nous avons la journée pour nous organiser. Mais avant, on va jouer un peu, d'accord?

À la fin de l'après-midi, en allant chez Marguerite pour nous déguiser, nous apercevons tout à coup un monsieur, un vieux monsieur. Il rôde près de la maison. Il s'approche dangereusement.

Nous l'encerclons. Il s'arrête de marcher, surpris.

Il a des lunettes, des cheveux blancs et un accent.

— Bonjour, terribles chérubins, que me voulez-vous?

Il roule les « r ».

— Vous n'avez pas le droit d'aller chez ma grand-mère. Je ne vous connais pas et elle non plus, alors partez, dis-je.

— Je viens accorder son piano.

Depuis quand fait-elle accorder son piano par quelqu'un? Elle l'a toujours accordé seule!

— Vous n'entrerez que si nous

vous accompagnons, s'exclame Laurent!

Virginie, Laurent et moi, nous l'escortons. Guillaume reste dehors. Si jamais il entend quelque chose d'étrange à l'intérieur, il est chargé d'avertir la police.

Quand Marguerite nous voit arriver tous ensemble, elle devient rose, toussote, puis se met à rire et nous demande :

— Vous connaissez mon cher accordeur?

Son cher accordeur? Je ne comprends pas, elle le connaît et ne m'en a jamais parlé.

Lui se dirige vers le piano comme s'il connaissait le salon. J'attire ma grand-mère vers la cuisine et je commence à lui raconter les doutes que j'ai à propos de son accordeur de piano. J'ai à peine fini mon explication que des notes et des notes retentissent. C'est une valse pleine de nuances et de douceur.

Ma grand-mère s'assoit sur une petite chaise de cuisine, elle écoute sans rien dire. Je l'observe. Elle ne m'entend plus, elle ne me voit plus.

La musique reprend de plus belle et je crois apercevoir une larme au coin de l'œil de ma grand-mère. Elle se lève, me tourne le dos, se mouche. Elle va dans le salon, demande doucement que la musique arrête, que le joueur accorde et que nous allions jouer ailleurs.

Nous sortons tous les trois.

Je n'y comprends rien. Depuis mon arrivée, Marguerite est vraiment mystérieuse. Je suis sûre qu'elle pleurait tout à l'heure, mais pourtant, pour pleurer il faut être très triste, ou très joyeux comme lorsqu'elle m'a accueillie à l'aéroport – ou bien en plein fou rire. D'ailleurs ma grand-mère a toujours avec elle un petit mouchoir caché dans sa manche pour épancher ses « larmes de vie », comme elle dit.

Je les connais les larmes de ma grand-mère. Mais ce soir, je ne les comprends pas.

Depuis que je suis arrivée, Marguerite ne bouge presque pas de chez elle, elle qui d'habitude m'emmène toujours partout pour présenter à tous « sa petite fille de Montréal ».

Peut-être est-elle malade ? Et gravement ?

Ma grand-mère ne doit jamais mourir. C'est ma seule grand-mère au monde, et pourtant il y en a beaucoup sur toute la terre, des grands-mères. Mais celle-là, c'est la mienne. Elle sent bon, elle est douce, elle comprend tout sans que je ne lui dise rien. Je veux la garder longtemps. Toute la vie. Et si elle mourait, là, tout de suite ? Non. C'est impossible. Nous ne finirons jamais de nous raconter nos histoires de pirates, de jouer au piano nos morceaux en forme de poires. Jamais.

Si elle est malade, je vais la soigner, c'est tout.

CHAPITRE 6

L'AIR QUI ENDORT
LES DOULEURS

Dans le jardin, nous parlons, mais je pense à cet étrange accordeur. Nous l'avons laissé avec ma grand-mère. Attentifs, nous sommes à l'affût du moindre bruit suspect. Guillaume est près de la porte, il écoute ce qui se passe à l'intérieur de la maison. Le piano joue doucement, la voix de ma grand-mère l'accompagne. On dirait une complainte.

Un silence.

Puis des murmures. Les voix montent. Ils parlent en roulant tous les deux les « r ». C'est du russe. Ils parlent russe à voix haute, les « r » roulent jusqu'à nous.

Une voix grave, très grave s'échappe de la maison et envahit le jardin.

— Non, pas celle-là, crie ma grand-mère.

Que se passe-t-il? Elle qui ne crie jamais! Cet accordeur est peut-être le voleur de l'autre soir? Ou un brigand de grand chemin?

Nous courons tous vers le salon et j'aperçois par la porte l'accordeur, il est très proche de ma grand-mère. Il est à ses genoux. Ses yeux brillent comme des étoiles filantes. Que lui veut-il?

À peine entrée dans le salon, je trébuche et je tombe.

— Aïïïïïe! j'ai mal, je me suis foulé la cheville. Aïïïïïe!

Je crie sans oublier d'adresser un clin d'œil à mes amis.

Ma grand-mère se lève précipitamment, suivie du brigand à lunettes.

— Que s'est-il passé? Camille, ma petite chérie! me dit-elle en me caressant le visage de sa main douce et menue. Installons-la sur le divan du salon. Pourriez-vous la porter? demande-t-elle tendrement à ce monsieur.

— Non, non. Pas lui, disent mes amis en chœur.

En un éclair, Monsieur l'accordeur me prend dans ses bras et me pose doucement sur le divan. Son parfum me rappelle quelque chose. Je n'ai pas le temps d'y penser. Je dois vraiment avoir mal à la cheville et c'est difficile à mimer...

Mes amis m'entourent, l'air faussement catastrophé. Ma grand-mère a déjà sorti la pommade, les bandes et un verre d'orangeade.

Je n'ai mal nulle part, mais il faut que je garde ma grand-mère près de moi, que je l'éloigne de cet individu.

Il nous regarde d'un œil moqueur avant de s'asseoir au piano, d'où il ne bouge plus.

Ma grand-mère me soigne, mes amis rient sous cape, mais restent vigilants. Monsieur l'accordeur de piano se retourne pour nous annoncer qu'il va nous raconter une histoire d'enfance.

— Un jour, je m'étais fait très mal au bras. Un ami de mon père s'est mis au piano et il a joué « L'air qui endort les douleurs ». Alors, je n'ai plus eu mal. J'ai appris à jouer cet air, et depuis ce jour j'ai guéri beaucoup d'enfants.

Sa voix est grave. Les « r » roulent gracieusement.

— Veux-tu écouter ? me propose-t-il.

Le piano craque de plaisir au son de ces notes mélodieuses. C'est une musique très colorée. En la jouant, il a l'air heureux et

si joyeux que je ne peux plus croire à un brigand.

— Allez, dansez maintenant! nous dit-il de sa voix entraînante.

J'oublie complètement la comédie de ma cheville, je danse avec ma grand-mère une polka endiablée. Il se retourne avant que je puisse revenir sur le divan pour me plaindre et il me dit :

— Voilà, je t'avais bien dit que c'était un morceau qui efface la douleur, non?

— Oui, c'est incroyable, ma cheville s'est défoulée en une seconde! C'est formidable! Je ris en disant ça. S'il pense que je crois à sa magie, il se trompe!

Il joue des airs et des airs en nous racontant des histoires de notes et de chevaux, de mesures et d'oursons, de tempo et de chapeaux. On rit, on danse, on chante.

Mais qui est ce monsieur qui roule si bien les «r»?

Qui est ce monsieur aux jolies lunettes ?

Qui est ce monsieur qui sent si bon ?

Qui est ce monsieur qui joue tellement bien du piano ?

CHAPITRE 7

OÙ EST PASSÉE
MA MARGUERITE ?

Depuis une semaine, je me demande ce qui manque dans la maison. J'ai une impression de vide. Je n'entends plus rien en m'endormant, ni musique, ni russe, ni pas de danse. La maison est calme. Trop silencieuse.

Et pourtant ma grand-mère et moi n'arrêtons pas de nous amuser ensemble.

Elle a recommencé à m'emmener partout avec elle.

Nous sommes allées manger une énorme crème glacée aux trois parfums, fraise-chocolatvanille. Nous sommes allées essayer des chapeaux dans un grand magasin. Quand elle a mis le chapeau à plumes jaunes qui lui arrivait au milieu du nez, j'ai vraiment ri, elle ressemblait à une autruche endimanchée. La vendeuse nous surveillait du coin de l'œil, mais ma grand-mère a l'air trop digne pour qu'on lui dise quoi que ce soit.

Bref, la vie normale a repris.

Au déjeuner, elle m'a parlé de la petite souris qui vient, tous les matins vers six heures, grignoter les miettes sous la table du jardin, du rossignol qui lui chante une petite mélodie vers la fin de l'après-midi.

Un matin, je me réveille et, comme d'habitude, je descends prendre mon chocolat-tartines-confiture.

La maison est immobile, pas un souffle. Dans la cuisine, il n'y a personne pour m'accueillir ou me sourire. L'oiseau est silencieux, les souris absentes et le soleil n'est pas au rendez-vous.

Sur mon bol, je trouve un mot de ma grand-mère :

Ma chérie,

J'ai dû partir très tôt ce matin pour faire une course, je n'ai pas pu te prévenir avant, je ne l'ai su qu'hier soir.

L'autobus ne passe pas souvent, alors j'ai pris celui de 6 heures du matin. Je rentre ce soir vers 6 ou 7 heures.

Les parents de Virginie t'attendent pour passer la journée avec eux.

Je t'embrasse très fort, passe une bonne journée et à ce soir.

Marguerite qui t'aime
XXX

Abandonnée par ma grand-mère. Laissée à moi-même. Seule! Je ne comprends pas, c'est impossible. Je n'ai jamais vu, ni lu, ni entendu ça. Une grand-mère ne laisse pas sa petite-fille, surtout pas Marguerite. Je ne peux pas y croire et je n'y crois pas.

Elle ne m'a pas abandonnée, elle a été *obligée* de me laisser, c'est sûr. Forcée. Mais par qui?

Me reviennent en mémoire le jardinier, l'ombre, le voleur. Même l'accordeur, je le soupçonne.

Immédiatement, je téléphone à mes trois amis. Depuis une semaine, nous ne nous sommes pas vus, j'étais tout le temps avec Marguerite.

Ils arrivent tout de suite. Je leur annonce la disparition de ma grand-mère, je leur montre le mot et, en échange, Laurent me tend des rouleaux de papiers.

Je les examine. Ce qui est écrit est incompréhensible. Des lettres se suivent, on dirait des mots, mais cela ne ressemble à rien qu'on connaisse. C'est un code.

— Ta grand-mère est en danger, je te l'avais dit. Cette fois c'est vrai, insiste-t-il. La preuve!

Je tourne les feuilles dans tous les sens pour trouver des indices, pour comprendre d'où elles viennent. Une odeur d'épices se dégage des feuilles.

— D'où ça vient?

— Jeudi soir, on voulait te voir, explique Virginie. Au moment où on arrivait dans ta rue, on a aperçu le rôdeur devant chez Marguerite. Il avançait en se cachant derrière les voitures et derrière les arbres pour être sûr de ne pas être vu. Il s'est approché de la porte d'entrée de la maison et il a mis quelque chose dans la boîte aux lettres. Ensuite, il est reparti. Très vite.

— Qu'avez-vous fait?

— Guillaume est allé chercher ce que le rôdeur avait mis dans la boîte aux lettres. Tu sais, les rôdeurs savent rôder, mais ils ne savent pas glisser les papiers dans les fentes des portes. Les feuilles étaient entourées d'un nœud et ça dépassait. On est allés sous un réverbère pour lire ce qui était écrit. Mais on ne comprenait rien. Le lendemain, à la même heure, on a guetté le rôdeur et la même chose s'est produite.

Marguerite est donc vraiment en danger. En ce moment, elle est sûrement enfermée et baillonnée dans une cave à charbon ou dans un placard à balais. Il faut la délivrer.

Ces brigands ont dû l'obliger à écrire le mot que j'ai trouvé ce matin, pour m'éloigner d'elle et de la maison.

Après une heure de discussion, nous décidons d'aller la chercher au château de la Belle au bois dormant, pour deux raisons.

Premièrement, je soupçonne le jardinier du château d'être dans le complot. Il est russe et, d'après Madame Beauséjour, il est très « particulier ». Il connaît ma grand-mère et, d'ailleurs, depuis que je suis arrivée, elle reçoit toujours des coups de téléphone et elle répond en russe avec un drôle d'air. Ça devait être lui qui commençait à la poursuivre.

Et finalement, le château est un endroit idéal pour cacher les gens.

CHAPITRE 8

LE CHÂTEAU DE LA BELLE
AU BOIS DORMANT

Un bout de pain, un morceau de fromage, des cordes, des lampes de poche, un canif, un sifflet, et nous enfourchons nos bicyclettes.

Après une route pleine de côtes et de virages olympiques, nous apercevons les créneaux de la tour et l'entrée du chemin. Nous cachons nos bicyclettes dans les buissons et, à pied, nous nous dirigeons vers le château. Les arbres nous saluent, nous avançons sans dire un mot.

Arrivés au château, nous longeons le mur de la tour. Comme

d'habitude, nous passons par la fenêtre donnant sur la cave aux chauves-souris. C'est toujours effrayant de quitter les couleurs du jour pour tomber dans le noir de cette cave, mais c'est tellement amusant d'avoir un peu peur.

Aujourd'hui, c'est différent. Nous ne jouons pas avec la peur, nous cherchons Marguerite. Nous ne quitterons pas ce château sans l'avoir fouillé de fond en comble.

Une fois dans la cave, nous allumons chacun notre lampe de poche et scrutons tous les murs. Laurent nous appelle, il vient de découvrir une entrée vers une autre cave. Nous allons avec lui.

— C'est une cave à vin, nous déclare-t-il avec son ton de professeur. Vous voyez ces trous dans le mur ? Ils servaient à conserver le vin au frais.

Quand il sait tout et qu'il commence à expliquer les choses avec son air d'encyclopédie alors

que moi je cherche ma grand-mère, il m'agace.

— Laurent, tu nous expliqueras ça une autre fois, on cherche Marguerite. C'est important. C'est grave, tu comprends? dit Virginie.

Cette immense cave voûtée est intimidante. Silencieuse, mystérieuse, elle renferme les secrets du château. Les carrioles, les tonneaux, les meubles plein de paille, les malles, les valises, les boîtes sont là pour nous rappeler que ce château a une histoire.

On écoute, on cherche une cave inconnue, une pièce secrète dans laquelle serait enfermée ma chère grand-mère.

Je pense très fort à elle, je ferme les yeux une fraction de seconde. C'est assez pour que je sente une chauve-souris effleurer mes épaules. De peur, je laisse tomber ma lampe de poche. Je ne dois pas crier, je ne dois pas m'affoler, je dois ramasser ma lampe.

Je tremble, j'ai froid, j'ai chaud. En me relevant, j'aperçois une porte dans le mur du fond. Je me retourne pour demander à Guillaume de venir l'ouvrir avec moi.

Je le cherche, je regarde partout, il n'est plus là.

Près de l'escalier en colimaçon, j'aperçois deux faisceaux lumineux, c'est Virginie et Laurent. Je vais les prévenir.

— Guillaume, Guillaume!

Nous l'appelons doucement, pas de réponse. Nous le cherchons dans tous les coins de la cave, pas la moindre trace. Il reste un seul endroit que nous n'ayons pas fouillé : c'est derrière la porte que j'ai aperçue. Nous l'ouvrons, elle donne sur un couloir en pierre, un long couloir noir.

— C'est un souterrain, dit Laurent.

Nous nous avançons. Nous appelons Guillaume, toujours pas de réponse. Nous avons perdu

Marguerite et Guillaume. Qui sera le prochain?

Seule la lampe de Laurent est restée allumée. Il marche devant, nous le suivons en silence. Je frissonne. J'entends tous les bruits que la cave ne fait pas, j'entends les pierres du souterrain respirer et nos pas résonner.

Je me retourne souvent pour voir si nous ne sommes pas suivis. J'ai vraiment peur.

Laurent continue à marcher, il a même l'air de trouver ça passionnant. Il m'exaspère. Ce n'est ni intéressant, ni rien du tout, c'est effrayant. Il marche sans s'arrêter.

Tout à coup, au loin, nous apercevons une toute petite lueur diffuse. Elle se rapproche, nous nous arrêtons. La lumière nous éclaire plus fort et nous ne sommes pas capables de voir qui se cache derrière. Laurent éteint sa lampe.

Au bout du souterrain, la lumière a disparu. Nous rallumons nos lampes et commençons à reculer doucement, un peu plus vite et de plus en plus vite. Nous ressortons du souterrain et courons nous cacher sous la carriole.

Il y a des minutes qui ressemblent à des heures, surtout dans le silence et l'obscurité. Nous attendons, nous écoutons, et tout à coup, nous entendons des petits bruissements qui s'approchent de nous.

Je me serre contre Virginie, elle tremble, comme Laurent d'ailleurs, mais soudain elle a le courage de braquer sa lampe sur le bruit.

C'est Guillaume, caché sous l'avant de la carriole. Il pousse un cri de peur, il est ébloui et ne bouge plus.

— Guillaume, c'est nous, chuchote Virginie.

Il allume sa lampe pour vérifier et soupire de soulagement. Pendant que nous sortons de notre cachette, nous entendons quelqu'un descendre l'escalier. Un faisceau de lumière apparaît.

Le cri de Guillaume aurait résonné si fort que nous avons été repérés? C'est le temps de filer, toutes lumières éteintes.

Une fois sortis, nous nous cachons dans les broussailles. Les bruits se calment, le château reprend son apparente tranquillité. Avant de reprendre notre route, nous attendons que le soleil se couche et que les soupçons soient apaisés.

CHAPITRE 9

GÂTEAU-BISCUITS-BONBONS-CARAMELS

Nous rentrons bredouilles. Pas de grand-mère, et aucun indice pour la retrouver. Je suis désespérée.

En arrivant devant chez elle, de la rue nous ne voyons aucune lumière dans la maison pour nous accueillir. Mon cœur se serre, des larmes coulent sur mes joues. Je retrouverai Marguerite, on ne me volera pas ma grand-mère.

Nous retournerons au château dès demain matin.

En passant par le jardin pour aller dans la cuisine vérifier si elle n'aurait pas laissé un autre message, nous apercevons deux ombres. Une que nous reconnaissons avec effroi. C'est l'ombre de l'autre soir, celle de la chambre, qui pose ses mains sur le visage de l'autre.

Je me mets à courir en criant :

— Au secours, l'Ombre est là! Et il y en a une autre!

— À l'assassin! Au meurtre! Police! renchérit Laurent.

— Ah! vous voilà! dit ma grand-mère en sortant de la maison, je commençais à m'inquiéter.

En nous regardant, elle éclate de rire :

— Que vous arrive-t-il? Vous avez l'air bien inquiets. Mais, vous êtes tout sales, on dirait que vous sortez d'une cave à charbon!

À peine le temps de répondre ou de poser une question, ma grand-mère suivie de l'ombre accordeur de piano se lèvent et nous entraînent au son du piano, dans un moment gâteau-au-chocolat-petits-biscuits-orangeade-bonbons-caramel-glace-et-esquimaux.

Quand mes amis partent, je me couche le cœur gros. J'ai retrouvé ma grand-mère, mais pas tout à fait, pourtant.

Le lendemain matin, je me réveille de mauvaise humeur, en colère. Je ne sais toujours pas ce qui est arrivé à Marguerite. Elle et son accordeur nous ont tellement gâtés, mes amis et moi, que nous n'avons pas posé de questions.

Je suis fâchée contre la Terre entière et même contre ma grand-mère. Je continue à la soupçonner de me cacher un secret important.

Je me retourne dans mon lit, je ne bougerai pas. J'entends des pas, je sens l'odeur des tartines grillées. Je ne peux pas y résister.

Je saute du lit, je dévale les escaliers pour retrouver ma grand-mère dans la cuisine. Je suis bien décidée à tout lui demander, les pourquoi et les comment.

Pourquoi cette odeur dans la salle de bains, pourquoi ce jardinier, pourquoi ces rouleaux de papiers incompréhensibles, pourquoi cette disparition, pourquoi cette ombre-rôdeur-accordeur de piano, pourquoi, pourquoi, pourquoi?

Dans le jardin, j'aperçois deux silhouettes qui se tiennent par la main. C'est Marguerite et lui. Encore lui! Je cours rejoindre ma grand-mère. Je me blottis dans ses bras. Lui, je le regarde en coin. Il me sourit.

C'est donc lui la nouvelle odeur de la salle de bains, les valses, les chuchotements? C'est lui l'ombre-rôdeur-accordeur-de-piano-voleur-dompteur-de-grenouilles-jardinier-de-son-cœur.

Ils ont voulu me parler, m'expliquer, mais cette fois, c'est moi qui n'ai pas voulu entendre. C'est plus simple et plus doux, le silence.

CHEZ QUÉBEC/AMÉRIQUE JEUNESSE

BILBO JEUNESSE

Beauchemin, Yves
ANTOINE ET ALFRED #40
Beauchesne, Yves et Schinkel, David
MACK LE ROUGE #17
Cyr, Céline
PANTOUFLES INTERDITES #30
VINCENT-LES-VIOLETTES #24
Demers, Dominque
LA NOUVELLE MAÎTRESSE #58
Duchesne, Christiane
BERTHOLD ET LUCRÈCE #54
Froissart, Bénédicte
CAMILLE, RUE DU BOIS #43
UNE ODEUR DE MYSTÈRE #55
Gagnon, Cécile
LE CHAMPION DES BRICOLEURS #33
UN CHIEN, UN VÉLO ET DES PIZZAS #16
Gingras, Charlotte
Série Aurélie
LES CHATS D'AURÉLIE #52
Gravel, François
GRANULITE #36
Série Klonk
KLONK #47
LANCE ET KLONK #53
Marineau, Michèle
L'HOMME DU CHESHIRE #31
Marois, Carmen
Série Picote et Galatée
LE PIANO DE BEETHOVEN #34
UN DRAGON DANS LA CUISINE #42
LE FANTÔME DE MESMER #51

GULLIVER JEUNESSE

Élisabeth, Vonarburg
    LES CONTES DE TYRANAËL #15

THÉÂTRE JEUNESSE
Émond, Louis
    COMME UNE OMBRE #2
Pollender, Raymond
    LE CADEAU D'ISAAC #1

CONTES POUR TOUS
Carrier, Roch
    LE MARTIEN DE NOËL, sélection Club La Fête
Desjardins, Jacques A.
    TIRELIRE, COMBINES ET CIE #13
Goulet, Stella
    PAS DE RÉPIT POUR MÉLANIE #10
Julien, Viviane
    BYE BYE CHAPERON ROUGE #9
    C'EST PAS PARCE QU'ON EST PETIT
    QU'ON PEUT PAS ÊTRE GRAND #5
    DANGER PLEINE LUNE #14
    FIERRO… L'ÉTÉ DES SECRETS #8
    LA CHAMPIONNE #12
    LA GRENOUILLE ET LA BALEINE #6
    LE JEUNE MAGICIEN #4

Patenaude, Danyèle et Cantin, Roger
    LA GUERRE DES TUQUES #1
Renaud, Bernadette
    BACH ET BOTTINE #3
Rubbo, Michael
    LES AVENTURIERS DU TIMBRE PERDU #7
    OPÉRATION BEURRE DE PINOTTES #2
    VINCENT ET MOI #11
    LE RETOUR DES AVENTURIERS DU TIM-
    BRE PERDU #15

LA SÉRIE ANNE
(NOUVELLE ÉDITION FORMAT POCHE)
Montgomery, Lucy Maud

ANNE...LA MAISON AUX PIGNONS VERTS
ANNE D'AVONLEA
ANNE QUITTE SON ÎLE
ANNE AU DOMAINE DES PEUPLIERS

LE DICTIONNAIRE
VISUEL JUNIOR
UNILINGUE FRANÇAIS
UNILINGUE ANGLAIS
BILINGUE
Archambeault, Ariane
Corbeil, Jean-Claude